EDVARD GRIEG

QUARTET
for 2 Violins, Viola and Violoncello
G minor/g-Moll/Sol mineur
Op. 27

T0080490

Ernst Eulenburg Ltd
London · Mainz · New York · Paris · Tokyo · Zürich

Quartett.

I

No. 276.   E. E. 6401   Ernst Eulenburg Ltd

4

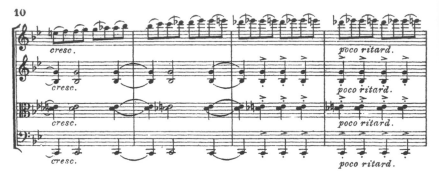

14

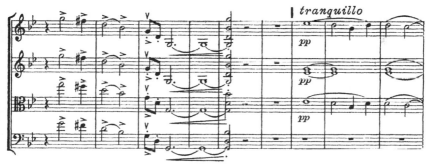

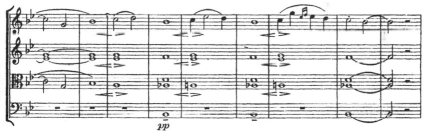

E. E. 6401

20

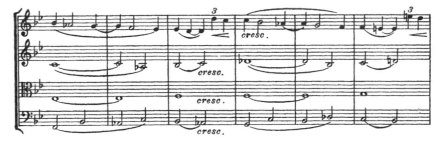

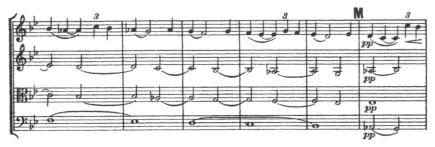

E. E. 6401

E. E. 6401

Più mosso.

II. Romanze.

Allegro agitato.

28

E. E. 6401

D

Un poco meno Allegro.

cantabile

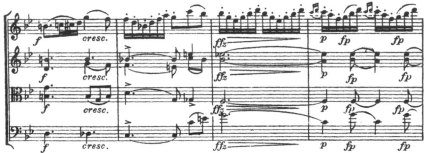

E Tempo del Andantino, ma un poco

più animato.

III. Intermezzo.

Allegro molto marcato.

E. E. 6401

38

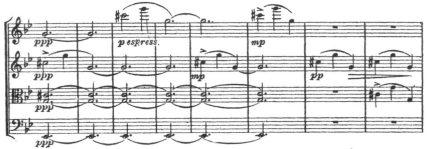

Più vivo e scherzando.

poco tranquillo

poco ritard.

poco ritard.

poco ritard.

poco ritard.

1. 2.

Intermezzo da capo sin' al Fine.

IV. Finale.

Lento.

Presto al Saltarello.

48

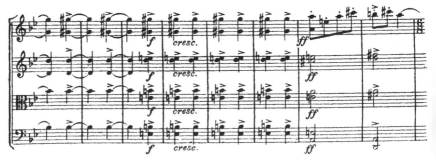

E. E. 6401

60

E. E. 6401

62

E. E. 6401

64

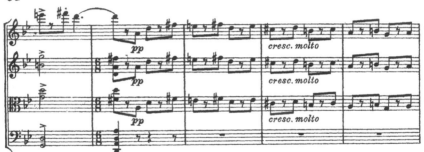

E. E. 6401

E. E. 6401

66

E. E. 6401

70

E. E. 6401